Cafodd ci defaid Siôn Fferm yr Hafod saith ci bach.

Roedd tri yn fawr a chryf.

Roedd tri arall heb fod yn rhy fawr
nac yn rhy fach.

Ac roedd un mor dila a sigledig
â sgerbwd.

'Am gi bach sigledig!' meddai Siôn yr Hafod, wrth i'r
ci bach lleiaf hwn geisio codi ar ei draed am y tro cyntaf.
'Hei, bydd rhaid i mi dy alw di'n "Sigl-di-gwt"!'

Tyfodd y tri chi cryf i fod yn gŵn defaid prysur.

Aeth y tri arall i fod yn anifeiliaid anwes.

Ond ddewisodd neb Sigl-di-gwt. Roedd e'n rhy fach.

'Bydd rhaid i ti aros fan hyn gyda fi,' meddai Siôn yr Hafod wrtho, 'ond cofia, bydd rhaid i ti ennill dy damaid!'

Drannoeth, daeth yr eira.
    'Well i ni fynd i gasglu'r
defaid o gopa'r bryn,' meddai
Siôn yr Hafod wrth Beth, mam
Sigl-di-gwt. 'Gofala di am y fferm
tra bydd dy fam a finne' wedi mynd!'
meddai wrth Sigl-di-gwt gan chwerthin.

Roedd hi'n tynnu am ddau o'r gloch a dim sinc na sôn
am Siôn na Beth yn dod adre. Roedd eisiau bwyd ar
Sigl-di-gwt.

Erbyn tri o'r gloch, roedd e'n dechrau pryderu
amdanyn nhw.

Ac erbyn pedwar o'r gloch, roedd hi bron â bod
yn dywyll.

Mentrodd Sigl-di-gwt ar hyd y lôn, i weld a allai
ddod o hyd iddyn nhw.

Roedd yr eira'n rhewllyd o oer ar ei bawennau
bychain, a bob hyn a hyn, byddai'n suddo'n ddwfn
nes diflannu bron yn llwyr.

'Baaaaa!' Yn sydyn, gwelodd fyddin fawr o ddefaid yn hyrddio tuag ato ar hyd y lôn. Cuddiodd y ci bach crynedig yn yr eira, gan obeithio gweld y Land Rover a gariai Beth a Siôn yn dod 'nôl.

Ond na, doedd dim golwg ohonyn nhw. Ble yn y byd oedden nhw?

Rhuthrodd y defaid i ganol
clos y fferm. Gwyddai Sigl-di-gwt
beth ddylai ei wneud.

Rhedodd a chau'r iet yn dynn, er mwyn eu corlannu nhw'n ddiogel tu fewn i'r clos.

Yna, rhedodd nerth ei goesau bach ar hyd y lôn,
a rownd y tro, a . . .

Ust? Beth oedd y sŵn yna? Ai cyfarth ei fam a
glywai? 'Help! Help! Help!'

Rhedodd Sigl-di-gwt i lawr y poncyn a thrwy'r
coed a dyna lle roedd Land Rover Siôn yr Hafod . . .

yn gorwedd ar ei ochr yn yr eira. Ac wedi eu dal
y tu mewn roedd Siôn a Beth!

Rhedodd Sigl-di-gwt ar hyd y lôn mor gyflym â'r gwynt, nes cyrraedd tŷ Dai, ffermwr Parc-y-blawd.

'Ci bach Siôn yr Hafod wyt ti, on'd ife?' meddai Dai Parc-y-blawd. 'Wyt ti wedi colli dy ffordd yn yr eira? Dere, neidia i'r tryc ac af i â thi adre cyn iddi droi'n dywydd mwy garw fyth.'

Ond pan ddaethon nhw i'r tro lle'r oedd Land Rover Siôn wedi llithro oddi ar y ffordd fawr, dechreuodd Sigl-di-gwt gyfarth a chyfarth.

'Beth sy'n bod, gi bach?' holodd Dai Parc-y-blawd. Ac yna, sylwodd ar fwlch yn y ffens, ac olion teiars yn yr eira.

'Bois bach!' ebychodd Dai Parc-y-blawd, pan welodd
beth oedd wedi digwydd. Aeth ati i helpu Siôn a Beth
o'r Land Rover – roedd hwnnw wedi malu'n llwyr!

'Dyna gi bach deallus sydd gen ti, Siôn,'
meddai Dai Parc-y-blawd, wrth eu cludo
nhw i gyd adref. 'Buaset ti wedi bod
mewn tipyn o helbul heb yr hen gi bach!'

A nawr, Beth, mam Sigl-di-gwt, sy'n sigledig
i gyd, yn aros i'w choes hi wella.

Ac mae Siôn yr Hafod hefyd braidd yn sigledig ar ôl cael dolur i'w ben. Felly, tybed allwch chi ddyfalu pwy sy'n gwneud y gwaith caled i gyd ar fferm yr Hafod y dyddiau hyn?

Sigl-di-gwt!

Achos dyw e ddim yn dila a sigledig fel sgerbwd
bellach. Na, mae e'n gi defaid go iawn – ci dewr,
y ci dewra yn y byd i gyd.